JN097178

仲村青彦 句集

Nakamura Aohiko

夏の眸

なつのめ

東京四季出版

夏の眸＊目次

装幀　高林昭太

句集

夏の眸

なつのめ

聖夜遇ふ

二十七句

クローバやかがみゐるとも空にほひ

クローバの中に隠しぬ氷菓棒

昏睡のくちびる動く稲びかり

母逝去

月冷ゆる母に衣を裏着せに

霜降る真夜はともし透く北枕

硝子戸の中の日ざらし木の葉髪

聖夜遇ふなきがら洗ひくれし人よ

陽を追つて真昼月ある春の耕

注ぎてはグラス明るし夏ともし

氷菓垂らして電線の影あゆむ

インド滞在　三句

夜濯ぎの闇に吊して白肌着

川遠くふくらみ見ゆる流れ星

秋分の祖国思へば闇べたべた

亡き母の白足袋なれば庭に焼く

草青む石もて踵あらへよと

草取りを黙禱のまへ夜明けごろ

下駄はいて夕べは街へ夏休

エプロンにトマトを抱いて妻の声

押入をひらけば書棚秋の冷

青林檎わだちを雨のあふれ出る

音たてて流れはひかる紅葉狩

みな昨日ばかりを話す焚火かな

太陽やふぶきのなかをひたにじみ
ふぶいてもふぶいてもまだ窓あかり

義兄逝去

雪の葬ひとりで逝くんだとさとし

紙敷いて葱二三干す薄日向

虫喰ひのやうなビルの灯冬星座

ポケット吹かれ

五十八句

風光るうしろにもこゑ聴きおぼえ

さくらんぼ分け神さまと汝と我

木のなりに見上げれば風夏木立

蟬時雨木々より高きところより

肌着にもわが名縫ひ込む熱帯夜

ソース匂ふ路地に西日がはまつてゐる

真鶴　三句

新涼の魚屋は午後干物のみ

大皿に葡萄や梨や時化つづき

サンゴ樹がゆれ先生の声のする
仏壇の中も金木犀こぼれ

あをあをと空の一撃黙り鵙

ことばでは思ひ出わづか木守柿

紅葉散る幹から遠い木椅子にも

街したたし枯木の中を電車過ぐ

春暁をポケット吹かれ歩きけり

ひかりよりまぶしき針や春の漁

夏木立紺色深く掃かれあり

夏木立あるけば悲しみに気づく

滝落ちて水となるまで透きとほる

雨水がうつすは四五羽鳥渡る

秋惜しむ同級生のその姉と
はだか木の梢の影も階のぼる

皿に日が弾けどほしや室の花

太箸や家ぬくもれば柱鳴る

インドにて東日本大震災を知る

はだしもて赤土歩く彼岸かな

妻の無事祖国の悲嘆暮れ遅し

くつがへる濤の尾みたり春ならひ

春ならひ灯を絶たれたる町の夜

星消ゆるあけぼの鳴かず田蛙は

夜も地震に眠りを怖るさくらかな

青嵐すつからかんで帰りけり

梅雨あがるガラスのいろに風ふいて

海風の走りつぱなしラムネ壜

魯山人の藍にひいやりトマト置く

すぐ秋になる木ならぬ木街に午後

手つないで時間が軽い冬日和

冬紅葉歩き来し身を壁際に
輝が痛いと寝ずに待たれけり

十字路の空十字なる冬の碧

幸福な秘密をふやす日記買ふ

いちにちのまんなか春のたつらしく

春の雨バターのにほふ中に降る

かぐ如く法然おもふ水温む

汗すぐにからだを冷やす啄木忌

対ふ眼が背窓へながる夕若葉

こきざみに短夜眠る病む汝と

弟・茂逝去

短夜を瞠（めひら）いて目の黄ばみゆく

はらからを葬る身睡し汗まみれ

活字ただ雨脚のやう青嵐

踏切鳴つて青田の先は青田

一椀の水供へては蟬時雨

噴水が木の間隠れに溺れてゐる

炎天の石や輪郭はみだせる

闇はもううごめき跳ねねちちろ虫

鵙鳴く木いまもベンチがその下に

木の床に黄落映る朝の珈琲

レールただ遠くがひかる葱の銀

鴨の水ひとは独りの時を得に

みどりの夜

七十一句

初春やすぐは読まない本買つて

はだか木に向く抽斗に鍵かくる

あけられぬままのひきだし春の雨

春の椅子ことばの外におのれ置き

師に逢はぬ月日つもりぬ揚雲雀

はなふぶきはるかな自動ドア狙ふ

東京は東京の雨ころもがへ

走馬灯過去にさへ愛されたしや

黒羽　三句

陽へすこし翅をずらしぬ秋の蝶

蕎麦の花まさぐり飛んで蝶白し

椎に秋幾百年を暴れたる

ゐみかへす児の歯真白し秋しぐれ

ほこりくさい雨降る山の眠り際

新宿の冬青空にさされ立つ

頁繰るひかりに動き寒雀

ありし日のおのれを重ね寒見舞

落花もて縁どれる水乾きけり

春の滝音となりきるまで濁る

ひとりとは五月の樹間ひとり踏み

澄める秋逆さ映りに匙の中

暮秋の佇むところ日がくぼむ

も一つの自分とあるく春真昼

きさらぎの路のいとしきうろおぼえ

亀鳴くといふ裏道はわすれけり

椿咲く踏まれて泥のかがやく日

落椿跨ぎきれざる騒ぎかな

あした会ふ人まだ知らずみどりの夜
窓若葉子の分けくれしパフェの尖（さき）

ハンカチにアイロン窓に星うごく

炎なき厨の煮炊茂る草

時かけてわが息濡らす夏木立
シャツ白く汗の体温つつみたる

雲の影いちまい通る鳥威

盆過ぎの雨が水平線たたく

広げ干す網におとろへ秋芝生

いわし雲車も影を曳き止まる

伊香保　四句

木洩れ日をあまねく秋の杉林

たたずみて日向まぶしむ十一月

裏山の微塵を浮かべ水澄めり

師の句碑に双膝折りて秋暮るる

赤を恍惚と信号冬に入る

日のふちに靴揃へ脱ぐ札納

凍蝶に青空あをきまま流れ

蟹缶の内なる包み寒の艶

椿剪る遠嶺の見ゆる朝のうち

一碗の贅や春の陽さへ拒む

下萌を離れて伏せてゐる鳩よ

枯芦が金髪のやうな蝶生まる

亡父ほど髪白からず春ゆふべ

萍をふちどつて水ひろがれり

電線の高さをとびぬ梅雨の夢

身のかしぎたるうたたねに濃あぢさゐ

刈草のかわく匂ひの夜の窓

黙禱の昨日につづく朝ぐもり

雲の峰おのれがおのれさばかぬ日

木下闇とぎれしところ記憶欠く

駅を出てすぐ踏切の秋たけなは

鉄蓋がコインのごとし街の秋

朝霧のはたと止まりし樹々の藍
雨粒が映せる秋へ歩きだす

つゆけさの空みづいろの胸さわぎ

弟・晴男逝去

なきがらを焼く間もすがれ赤のまま

はらからをまたうしなひぬあかまんま

柿熟るる向かうしろじろ川原石

駅へ屋根寄せ合つて冬ぬくき町

木の家の木の香まみれに冬日差

たらちねの夢に醒めけり白襖

岸風三樓先生墓前

南天の真つ赤な墓にかがみけり

木枯しや一番星は西傾ぎ

注連飾つくる硝子戸鳴りどほし

伊達巻の切口艶に冬日和

夏の眸

五十七句

「予感」俳句会発会

道抱いて歳旦の街明けゆけり

集まつて白息ゆたかか扉開く

松江

待春の灯台靴を脱いでのぼる

靴の匂ひ浅蜊の匂ひ路地銀座

春の星讃へて現在(いま)を時かけて

からだごとベンチの揺る春疾風

東京やうきうき歩く春の襞

頁まだ固き図書借る花ぐもり

宙吊りのままの月光地虫出づ

叔父逝去

たどりえぬ記憶に謝する遅日かな

なにか焚くにほひたどれば落椿

階段が彼方にうごく鳥曇

流れざる河に橋架け春の闇

春の海から自転車の二人乗り

はなびらがはなびらさらふさくら散る

色といふ色の芽吹きのバス乗り場

愛鳥週間家並にとぎれなし

この頃の空の白濁田植時

夏燕追ふバス待ちの首の列

麻服にかの店もバス停もなし

渚まで夏鶯の森厚し

夏至暮るる渚に車走らせて

白シャツや誰か来るまで一つの白

夏の眸が待つトンネルを抜けし街

太陽の中に蟬鳴く広島忌

問ひだして問におぼるる晩夏かな

もらひたる地図に道なし祭町

桃が出て路地の囃子は泣くやうに

メロンに刃二人の家にふたり居て

星祭窓ばかりなるビルの中

窓に街秋思しばらく鞄抱く

夜の野分ダリの時計のごと眠る

枯バッタ枯れ初めバッタ草の雨

黙禱や白い菌の生えてくづれ

踏石の切れたるところ乱れ萩

ひと待てば紅葉が四方に燃えうつる

陽へ開くシーツの端に柿の影

暮秋の水輪無数に雨の降る

礁隠れ水平線冷ゆる

うなばらの沈黙うごく枇杷の花

持ち歩く遺影に照つて木守柿

枯山に鮑の膳を一周忌

いなびかり樹根の如くしだれくる

枯野のメールこのアドレスに人なしと

しぐるるや日本が希薄なる街に

真間山　二句

鳩降りて落葉いちめん瞬けり

屋根や波冬の真間山船のやう

倉敷　四句

路地清く掃かれて午(ひる)へ冬日差

絵の具屋に絵の具百色石蕗の花

白壁の奥の白壁冬着売る

木の葉髪いのち群れ合ふたのしさに

冬銀河けふこの人と出逢ひけり

小鳥らの地鳴きしたしき冬木の芽

セーターに飛行機雲のほどけゆく

きのふ踏み割りし氷片繋がれる

駆けて春

八十四句

膝掛のタータンチェック雪催

着ぶくれて風を踏み踏み来し人よ

電柱をマストのごとく寒の町

初雪の間隙こその雪が降る

冬日宙海は藍布のかがやきに

仁右衛門島　四句

北風に白髭皓とをとこ来る

漁具小屋の壁板ぬくき石蕗の花

師の句碑に胼の手をもて額づきぬ

真砂女展

逃れえぬ墨の磨りぐせ冬怒濤

待春や雨にあふたび傘を買ひ

駆けて春ニコライ堂の鐘が鳴る

ゆきずりの坂ゆきずりの春のころ

春ひとり水だけ見ゆる水覗き

すでに陽に大おしやべりの蕗の薹

けふはけふの芽吹きの木々の影の中

すもも咲く干して肌着の影こまやか

待ち合はす新宿白き営巣期

さくら待つ窓の幾万空へ立つ

連翹の十方暴れ潦

義姉逝去

フクシマの彼岸の雪に汝は逝きぬ

マロニエの花咲く暖炉欲しき日を

市電一輛雨晒し花晒し

木の芽吹く雨にも街は膨張し
太陽の横ひろがりに若葉道

薔薇を摘むまだ陽に蕊の焦げぬ朝

風薫る一つながりに少女の声

DOUTOR（ドトール）に時調ふるころもがへ

噴水のしぶきの中の放課後よ

蝶白し白いオブジェのそばの夏

夜もみどり息吐ききつて息吸つて

刃渡りのごとき尾根みち時鳥

夕づきし森のかをりの郁子の花

星の出るまへに別れき夏の森

日と月と二つながらに真葛原

万緑や手のひら押せば樹皮あばれ

山となりくちなはとなり夏の夢

木洩れ日にまなこを濡らす青蛙

白波の沖に崩るるさみだるる

盗まれし櫂の歳月さみだるる

木洩れ日の強燭四方に悼む夏

日焼しに記憶を日焼させるまで
昨日あひ今日あふ街の灼くる中

佇みしのみの日焼を句碑の前

岡山　四句

誰か来て木洩れ日を掃く夏木立

山雀に一縷の水のきらきらす

蒲の穂に音だす風にシャツ膨れ

億年の地層断層胸の汗

朝の蟬夕べのちちろ雨の中

透けきつて二百十日の昇降機

獺祭忌頁に付箋あたらしく

調律のうしろの窓に秋の海

いくたびも窓をさはりに秋の蝶

つゆ草を母に溺るるほど咲かせ

つゆ草を咲かせこのごろ国を出ず

鴨川・鯛ノ浦　二句

鯛睦む中の一尾に逢へり秋

千草もてなぐさめまつる鯛の墓

満月の地にすれすれに神無月

月の夜の詩集あとがきから開く

鴫立庵

月を待つ西行像の足に触れて

岡本眸先生逝去

かりがねや師の訃報記事切り抜けば

ひとりふり返れば皆も秋風裡

ゆく秋のひとに待たれて道坂がち

正覚院に眸先生の句碑を訪ふ

ちかちかと風がかがやく花真菰

師の魂のあゆむ花野かかがやける

ころころと師のこゑ花野忌と言へば

水秋の水面に折れて杭と影

水照るや羽毛に遅れ枯葉駆け

草紅葉木椅子も沼に向き老ゆる

身に沁みて石に宿れるもののまへ

バス停を過ぎバス止まる鵙の視野

藍深き茶碗の萩絵をちの露

秋暮るる窓といふ窓駅に向き

この道の記憶こぞりて柿の照る

籾殻を焼けるにほひが書庫にまで

茶の花や月命日を蕊ゆたかに

冬来ると象のポスター壁に貼る

雪吊や紙よりうすく水ながれ

手に受けし枯木の影が胸に載る

息白く過ぐ一列の透ける傘

冬花火遠き樹間を濡らしけり

考ふる窓に流れて葱の青

きのふよりすこし遠くへ日向ぼこ

軍服を日陰に吊し冬の市

日の渦の自転車置場年暮るる

七彩

七十八句

星へ二歩それから百歩初詣

松過ぎの一本道に待たれけり

空のふちあまねく青く仏の座

寒梅や迎への母に園児泣く

大平芳江さん逝去　二句

ただ寒し対ひの椅子に鞄置き

雲寒し川しんしんと海と合ふ

水餅の水替へて家眠らしむ

耕せし春の起伏を登校児

麗日や十字路に日の湧くごとく

川のぼり来る春潮に船下ろす

電線のはるかな撓み春ゆうべ

抽斗の七彩春の釦糸

思ひ出の春の木洩れ日柵（さく）内（うち）外（と）

囀りや珈琲碾（ひ）きけふ束ね髪

中陰の御魂とあゆむ木の芽道

椅子引いて御魂すわらす春の句座

沖霞かがみて今日のマッチ擦る

対岸のさくら此岸のさくら呼ぶ

花のかげ白壁に地に深刻み

花の夜の釦をはめてシャツたたむ

養老渓谷　四句

岩すべる水潺々と芽吹谿

辛夷とも花とも遠き樹間恋ひ

一もとの桜に駅の残りたる

チョコレート匙もて掬ふ遅日かな

春眠しねむし地球の真ん中に

春惜しむはじめて歩く駅の裏

囀りや雨の水輪のどこまでも

木洩れ日の地を離れたる夕若葉

藤咲いてどの子の泣いてゐる声や

水差しに氷が浮いて夏雲雀

母の日の抱擁（ハグ）や地球を抱くごとく

ひばりの巣さがすに遅し桜桃忌

そらんじてあれど文字読む青嵐

雨止んで遠き泰山木の花

身をのぼる地の息六月の聖堂

をみならの顔どこか似てころもがへ

街青葉いくつも一人椅子つなぎ

父の日の音といふ音濡れてゐる

日焼け子に靴下売場色あふれ

母真似て爪立ち歩き夏帽子

噴水に空が下り来て街ともす

木の家や雨の梔子あらひ挿し

白南風やそらははだかの眩しさに
有明の月みづいろに葦青し

うぶすなや雨に打たれて草刈つて

夕焼けへ双竹立てて紙垂わたす

トンネルの中も雨踏む驟雨バス

歳月に詩集焦げたる夏座敷

棘ある実匂ひのある実夏木立

ハンカチを敷けば木立が香をしぼる

風の木のいま蟬の木や巨きな影

瞬かぬ眼と向きあへり八月を

マニ車まはすはるかに蟬の幹

白桃を燭とす遠き父母に

わらふ児や汗の両手で口を隠し

シャツ摑む蝗と吹かれ暴風裡

颱風の真つ暗闇を妻へ這ふ

立待月赤く上りぬ停電区

海はすぢ雲陸なほ秋を怒り雲

秋の陽の傾ぐや海が燃え狂ふ

バラはまた花芽を立つる野分後

返り花根をむき出しの倒木に

すず虫が鳴いて樹は夜へ影たぐる
歩いては自分を感ずひやひやと

かはたれの白くたゆたふ秋の道

ひと思へば沼波くぐり秋陽蹤く

鴨川郷土資料館

花野来てKENJI TOMIYASU旅鞄

みあかしに添ふる蜂蜜山眠る

ハンカチのはじめ衣を拭くしぐれ駅

明日あたり山が見えさう冬着出す

倉敷　三句

燠のごとき冬陽追ひ来ぬ街あかり

もみづりつつぼみひらきつ風の萩

道問へば土地人ならず落葉掻

屋根裏の鼠とはなす風邪籠

街に冬うごく画像を誰も手に

ポスターの下着モデルに冬灯の海

子が泣いて枯芝あかりひろがれり

灯の映るスープにオーバーコート脱ぐ

あとがき

句集『夏の眸』は私の第四句集である。『春驟雨』（平成19）以後、二〇一九（平成31・令和元）年までの三七五句を年代順に収めた。

「朝」終刊の翌年（平成29）に創刊した俳誌「予感」は、ことし三周年を迎える。六月の創刊三周年記念大会祝賀会のためにと、新たな句集の出版となった。思えば、『春驟雨』以来十二年の歳月が流れていた。この、とうに新たな句集の誕生があってしかるべき歳月を思い、自分としても、新たな「予感」の記念の句集が求められた。

だがこの間、母の死、七つ違いの弟の死、六つ違いの弟の死、義兄の死、義姉の死、叔父の死、それから、岡本眸先生との別れ、「予感」同人会長の大平芳江さんとの別れがあった。新たな「予感」の匂いどころか、句集には鎮魂のトーンがまぬがれなかった。その鎮魂の、抑制しつつも抑制しえぬ思いも、句集のもう一つの動機になった。

いったい鎮魂とは、かの人々への感謝の思いにちがいなく、しかしまた、私たちの「生」の現在を、そのあゆみを、つたえ捧げることだと思いながら、句集編集の時間が流れた。

二〇二〇年二月

仲村青彦

著者略歴

仲村青彦（なかむら・あおひこ）（本名　計美）

昭和十九年　千葉県木更津市に生まれる
昭和五十六年　「朝」主宰岡本眸に師事
平成二十九年　「朝」終刊により「予感」を創刊、主宰
俳人協会理事、日本文藝家協会会員
句集に『予感』（平成5、俳人協会新人賞）
『樹と吾とあひだ』（平成9）、『春驟雨』（平成19）
『自註シリーズ・仲村青彦集』（平成25）
評論に『輝ける挑戦者たち—俳句表現考序説—』（平成25、俳人協会評論賞）

現住所　〒292-0064千葉県木更津市中里二-七-十一

現代俳句作家シリーズ　耀 6

句集　夏の眸｜なつのめ

令和 2（2020）年 5 月 23 日　初版発行

著　者｜仲村青彦

発行者｜西井洋子

発行所｜株式会社東京四季出版

〒189-0013 東京都東村山市栄町 2-22-28

電話：042-399-2180／FAX：042-399-2181

shikibook@tokyoshiki.co.jp

http://www.tokyoshiki.co.jp/

印刷・製本｜株式会社シナノ

定　価｜本体 2800円＋税

ISBN 978－4－8129－0962－1